九成宮醴泉銘

彩色放大本中國著名碑帖

孫寶文 編

九成宫醴泉銘秘書監檢校侍中鉅鹿郡公臣魏徵奉勑撰維貞觀六年孟夏之

月皇帝避暑乎九
成之宫此則隨之仁
壽宮也冠山抗殿絶
壑爲池跨水架楹分
巖竦闕高閣周建長

月皇帝避暑乎九成之宫此則隨之仁壽宫也冠山抗殿絶壑爲池跨水架楹分巖竦闕高閣周建長

廊　起棟宇膠葛臺
榭參差仰視則迢遰
百尋下臨則峥嵘千
仞珠璧交暎金碧相
暉照灼雲霞蔽虧

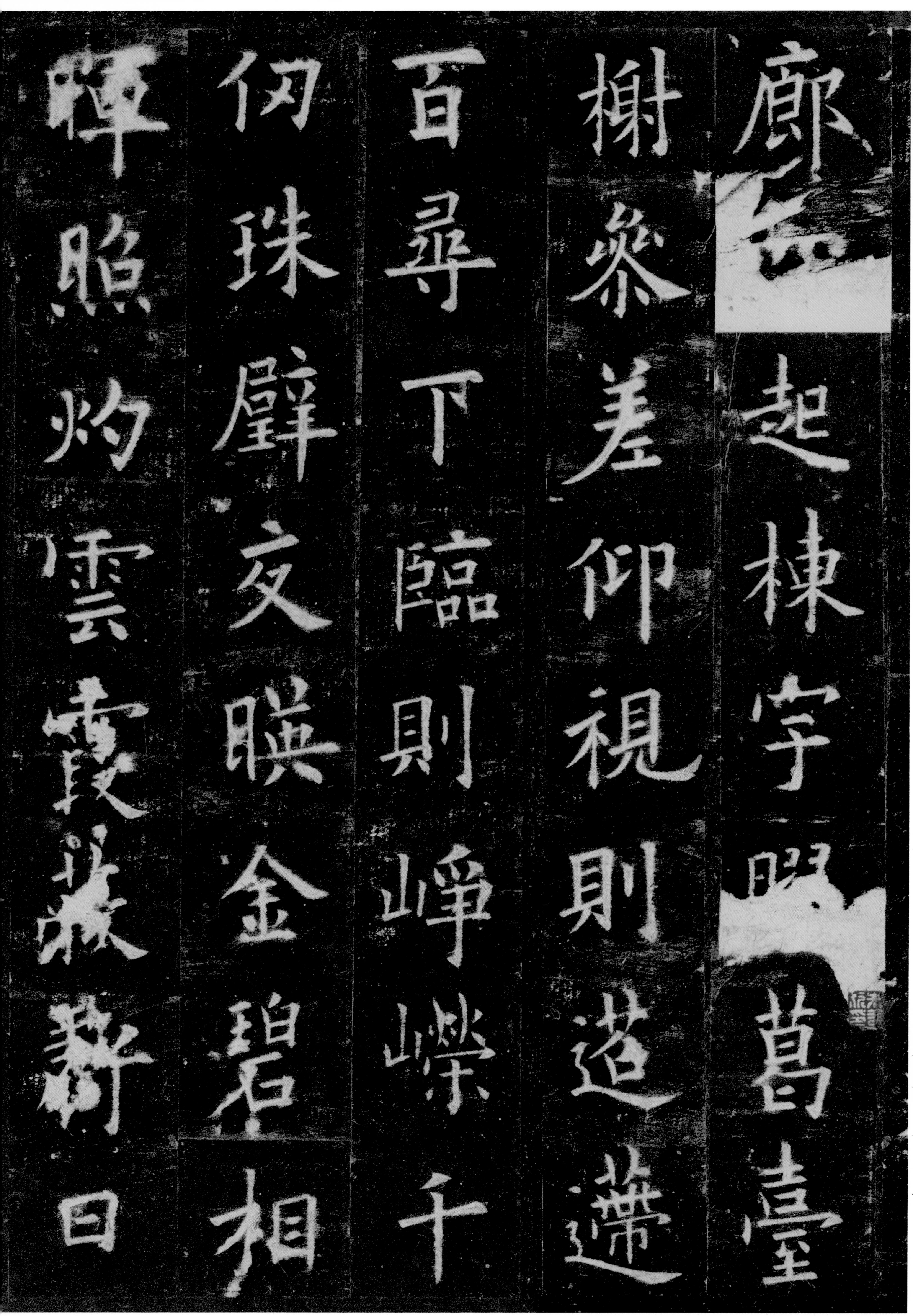

廊四起棟宇膠葛臺榭參差仰視則迢（迢）遰（遞）百尋下臨則峥嵘千仞珠璧交暎金碧相暉照灼雲霞蔽虧日

月觀其移山迴澗窮泰極侈□人從欲良足深尤至於炎景流金無鬱蒸之氣微風徐動有凄清之凉信

安體之佳所誠養神
之勝地漢之甘泉不
能尚也
皇帝爰在弱冠經營
四方逯乎立年撫臨

安體之佳所誠養神之勝地漢之甘泉不能尚也皇帝爰在弱冠經營四方逯(逮)平立年撫臨

億兆始以武功壹海内終以文德懷遠人東越青丘南踰丹儌(僥)皆獻琛奉贄重譯來王□暨輪臺北拒玄

闕并地列州縣人充編戶氣淑年和邇安遠肅群生咸遂靈貺畢臻雖藉二儀之功終資一人之慮遺

身利物櫛風沐雨百□爲心憂勞成疾同堯肌之如腊甚禹足之胼胝針石屢加腠理猶滯爰居京室每

弊炎暑群下請建離
宮庶可怡神養性
聖上　一夫之力惜
十家之産深閉固拒
未肯俯從以爲隨氏

弊炎暑群下請建離宮庶可怡神養性聖上□一夫之力惜十家之産深閉固拒未肯俯從以爲隨氏

舊宮營於曩代弃之則可惜毁之則重勞事貴因循何必改作於是斲彫爲樸損之又損去其泰甚葺其

舊宮營於曩代弃之則可惜毁之則重勞事貴因循何必改作於是斲(斫)彫爲樸損之又損去其泰甚葺其

11

頹壞雜丹墀以沙礫
間粉壁以塗泥玉砌
接於土階茅茨續於
瓊室仰觀壯麗可作
鑒於既往俯察卑儉

頹壞雜丹墀以沙礫間粉壁以塗泥玉砌接於土階茅茨續於瓊室仰觀壯麗可作鑒於既往俯察卑儉

足垂訓於後昆此所謂至人無爲大聖不作彼竭其力我享其功者也然昔之池沼咸引谷澗宮城之内

足垂訓於後昆此所
謂至人無爲大聖不
作彼竭其力我享其
功者也然昔之池沼
咸引谷澗宮城之内

本乏水源求而無之在□一物既非人力所致聖心懷之不忘粤以四月甲申朔旬有六日己亥上

及中宫歷覽臺觀閑
步西城之陰躇高
閣之下□察厥土微
覺有潤因而以杖導
之有泉隨而涌出乃

及中宫歷覽臺觀閑步西城之陰(躊)躇高閣之下□察厥土微覺有潤因而以杖導之有泉隨而涌出乃

承以石檻引爲一渠其清若鏡味甘如醴南注丹霄之右東□度於雙闕貫穿青瑣縈帶紫房激揚清波

滌蕩瑕穢可以導養正性可以澂瑩心神鑒暎(映)群形潤生萬物同湛恩之不竭將玄澤□常流匪唯乾象

之精盖亦坤靈之寶謹案禮緯云王者刑殺當罪賞錫當功得禮之宜則醴泉出於闕庭鶡冠子曰聖人

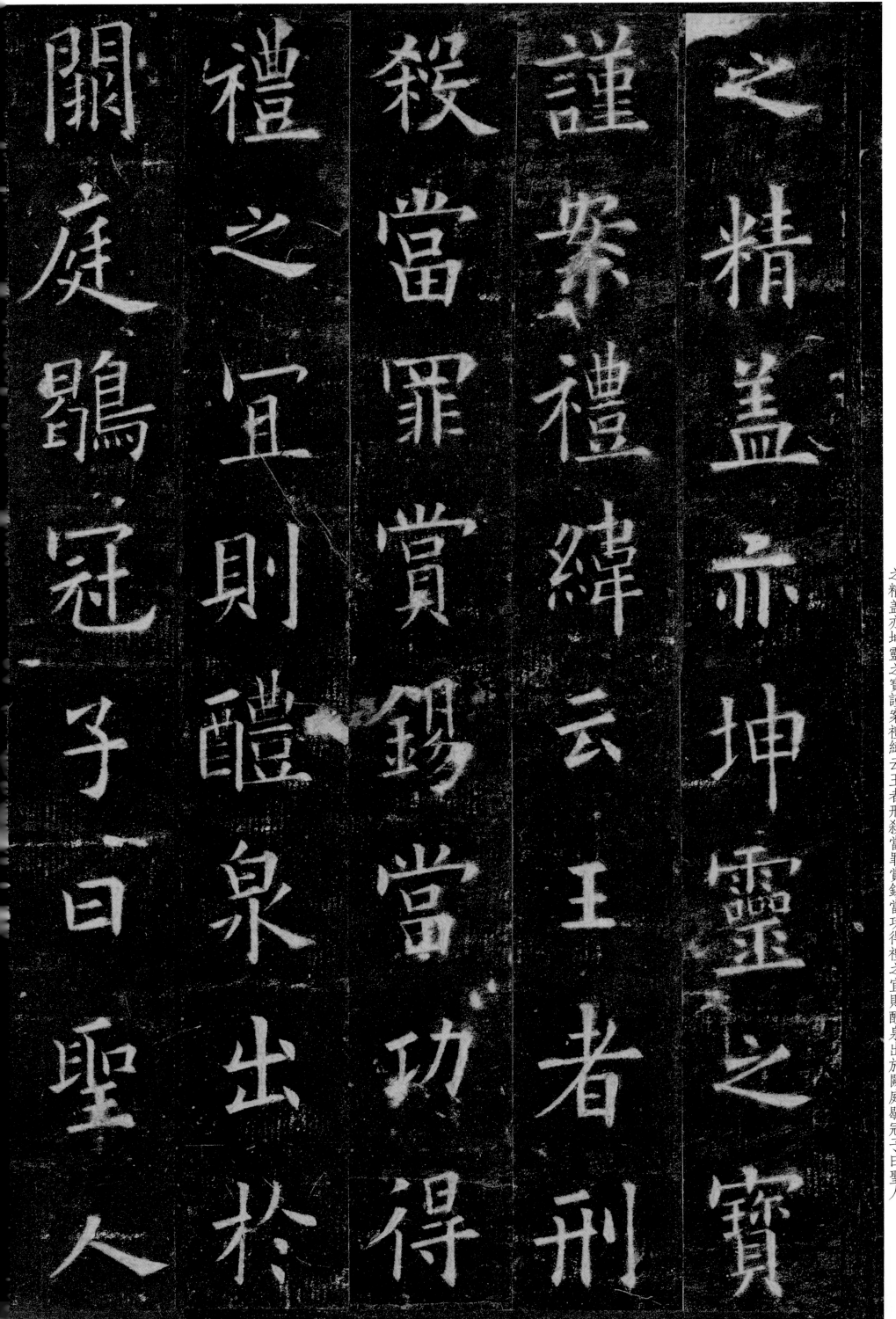

之精盖亦坤靈之寶謹案禮緯云王者刑殺當罪賞錫當功得禮之宜則醴泉出於闕庭鶡冠子曰聖人

之德上□太清下及太寧□及萬靈則醴泉出瑞應圖曰王者純和飲食不貢獻則醴泉出飲之令人壽

東觀漢記曰光武中
元元年醴泉京師
飲之者痼皆愈然
則神物之来寔扶
明聖既可蠲茲沉痼

東觀漢記曰光武中元元年醴泉□京師飲之者痼□皆愈然則神物之來寔扶明聖既可蠲兹沉痼

又將延彼遐齡是以
百辟卿士相趍動色
我后固懷撝挹而
弗有雖休勿休不徒
聞於往昔以祥爲懼

又將延彼遐齡是以百辟卿士相趨動色我后固懷撝挹□而弗有雖休勿休不徒聞於往昔以祥爲懼

實取驗於當今斯乃上帝玄符天子令德豈臣之末學所能丕顯但職在記言屬茲書事不可使國□

盛美有遺典策敢陳實録爰勒斯銘其詞曰惟皇撫運奄壹寰宇千載膺期萬物斯

覩功高大舜勤深伯
禹絕後前登三邁
五握機蹈矩乃聖乃
神武克禍亂文懷遠
人契未紀開闢不

覩功高大舜勤深伯禹絶後□前登三邁五握機蹈矩乃聖乃神武克禍亂文懷遠人書契未紀開闢不

臣冕並靜探賾贊咸
陳大道無名上德不
德玄功潛運幾深莫
測鑿井而飲耕田而
食靡謝天功安知帝

臣冠冕并襲探賾贊咸陳大道無名上德不德玄功潛運幾深莫測鑿井而飲耕田而食靡謝天功安知帝

力上天之載無臭無聲萬類資始品物流形隨感變質應德效靈介焉如響赫赫明明雜遝景福葳蕤繁

祉雲氏龍官龜圖鳳
紀日含五色烏呈三
趾頌不輟工筆無停
史上善降祥上智斯
悦流謙潤下潺湲皎

祉雲氏龍官龜圖鳳紀日含五色烏呈三趾頌不輟工筆無停史上善降祥上智斯悦流謙潤下潺湲皎

潔萍旨醴甘冰凝鏡
澈用之日新挹之無
竭道隨時泰慶與泉
流我后夕惕雖休
弗休居崇茅宇樂不

潔萍(萍)旨醴甘冰凝鏡澈用之日新挹之無竭道隨時泰慶與泉流我后夕惕雖休弗休居崇茅宇樂不

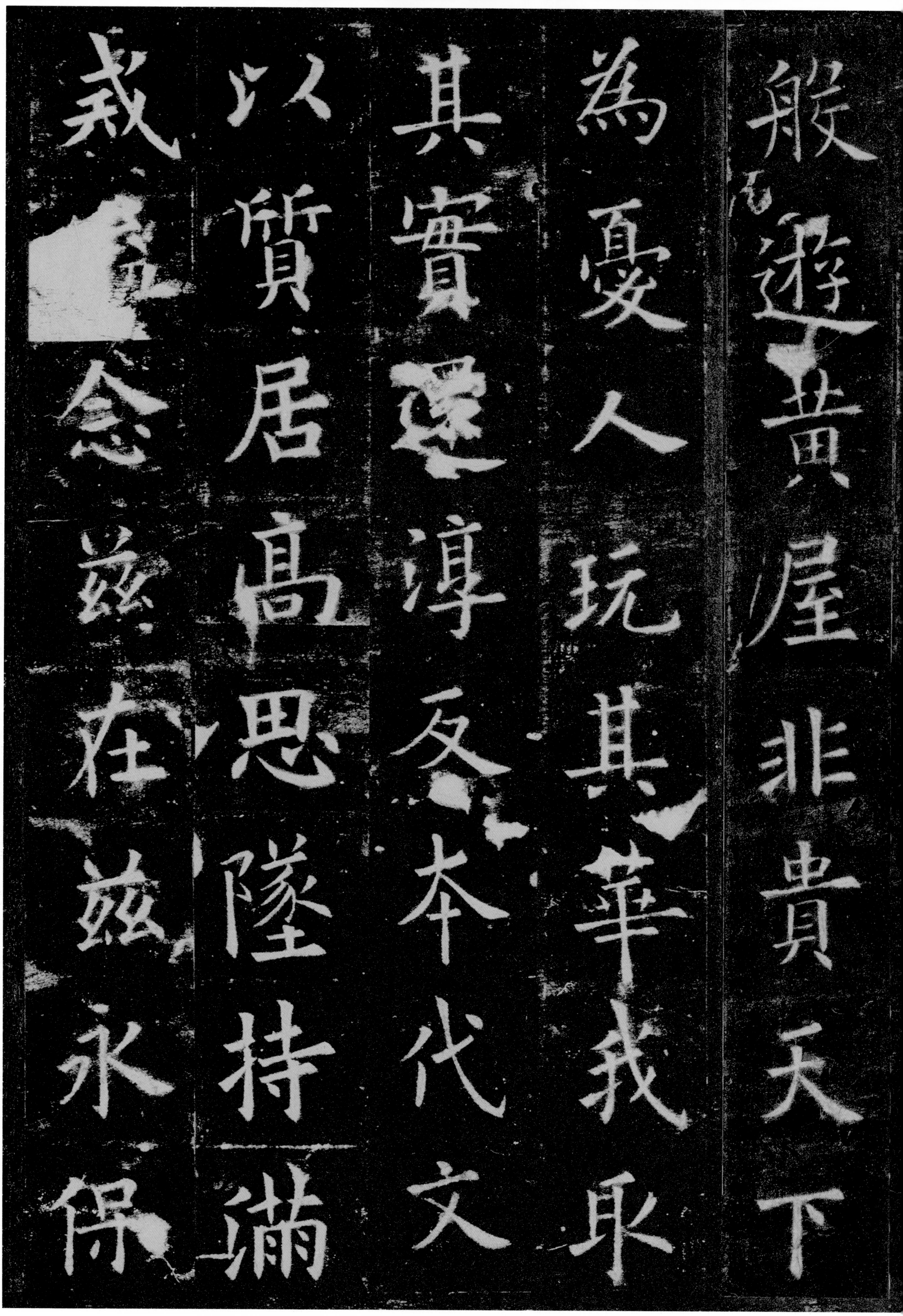
般游黄屋非貴天下
爲憂人玩其華我取
其實還淳反本代文
以質居高思墜持滿
戒溢念兹在兹永保
般游黄屋非貴天下爲憂人玩其華我取其實還淳反本代文以質居高思墜持滿戒溢念兹在兹永保

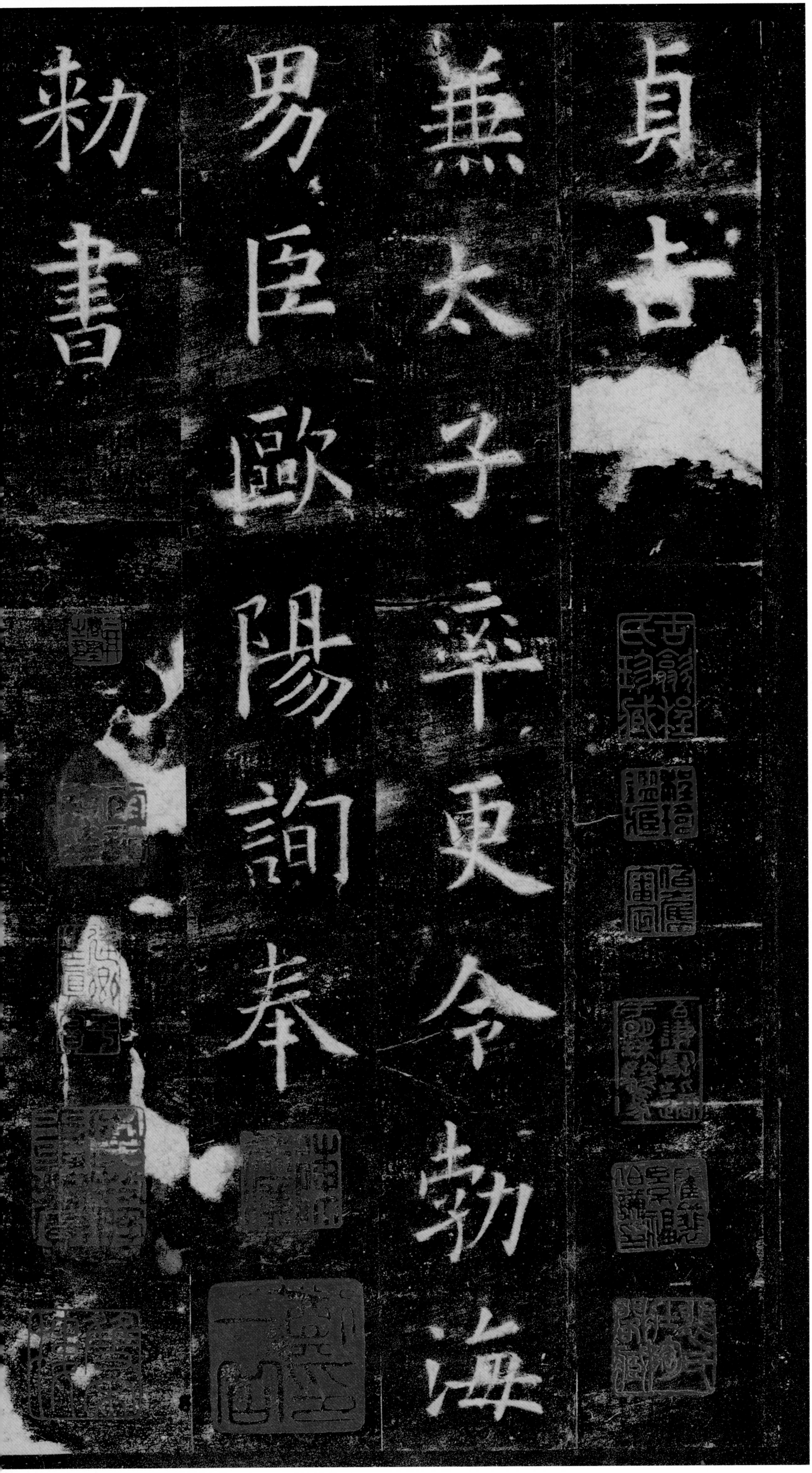
貞吉
兼太子率更令勃海
男臣歐陽詢奉
勑書

貞吉兼太子率更令勃海男臣歐陽詢奉勑書

九成宮
醴泉銘